«Para Santiago de Barry y su familia,
amigos queridos desde el día que nací.»

© Texto e ilustraciones: Pau Estrada, 2013

© Fotografía de Antoni Gaudí i Cornet: Ballell, Frederic/Arxiu Fotogràfic de Barcelona.
El resto de fotografías sobre la obra de Gaudí han sido realizadas por Pau Estrada.

© EDITORIAL JUVENTUD, S. A., 2013
Provença, 101 - 08029 Barcelona
info@editorialjuventud.es
www.editorialjuventud.es

Diseño y maquetación: Mercedes Romero

Primera edición, abril de 2013
Segunda edición, octubre de 2013
Tercera edición, diciembre de 2014
Cuarta edición, mayo de 2017

ISBN 978-84-261-3952-8
DL B 7788-2013

Núm. de edición de E. J.: 13.457

Printed in Spain

Arts Gràfiques Grinver - Avda. Generalitat, 39
Sant Joan Despí (Barcelona)

Un paseo con el señor
gaudī

Texto e Ilustraciones
Pau Estrada

Editorial EJ Juventud

El señor Gaudí sale de casa, como cada día bien temprano, para ir a trabajar. La mañana está fresca, se cala el sombrero hasta las orejas y musita «¡Brrr!» entre dientes. Se calienta las manos con el aliento, se abrocha los botones de la chaqueta y echa a andar.

El señor Gaudí vive en una casita de color rosa en medio de un parque que parece un bosque encantado hecho en piedra. Baja las escaleras que llevan a la salida y saluda a su amigo el dragón, el guardián del recinto.

–Hasta luego, querido amigo –le dice alzando el sombrero–. Cuídame el parque hasta mi regreso. Yo me voy corriendo a trabajar; que no quiero que se me haga tarde.

El dragón multicolor responde con una sonrisa a este ritual que se repite cada mañana mientras el señor Gaudí aprieta el paso y baja andando a la ciudad.

Como cada mañana, las calles del barrio están muy animadas. Los carros de caballos circulan apremiados por los gritos de los arrieros, los tranvías chirrían repletos de pasajeros y las bicicletas vuelan como golondrinas sorteando el tráfico a gran velocidad.

El señor Gaudí camina ensimismado, sin prestar atención y, como es bastante despistado, a veces se da de bruces con otros viandantes o cruza la calle sin mirar.

—¡Ojo ahí! ¡A ver si miramos por dónde vamos! —le grita un ciclista.

Para la gente que le ve pasar, el señor Gaudí parece un mendigo de barba blanca y aire ausente. Algunos incluso se apartan temiendo que les vaya a pedir limosna.

Nadie pensaría que es el arquitecto más famoso de Barcelona y que de su imaginación han salido los edificios más originales y emblemáticos de la ciudad. También ha diseñado monumentos, farolas, bancos y hasta baldosas para las aceras.

Sin embargo, como cada día, él sigue su camino abstraído en su mundo; un anciano taciturno que nadie reconoce al verle pasar.

El señor Gaudí llega a la Casa Milà,
un edificio de apartamentos que ha construido
recientemente. Como otros proyectos suyos,
la casa Milà no se parece a nada que se haya visto
antes. Su silueta ondulante parece una enorme
montaña de piedra salida de un sueño o de un
cuento de fantasía. La verdad, sin embargo, es
que más de uno piensa que este edificio es feo
a rabiar y que más parece una cantera que
una casa de pisos. Y de ahí justamente le
viene el nombre con el que lo conoce
la gente: «La Pedrera», que quiere
decir «cantera» en catalán.

Esta mañana, Gaudí ha venido a la Casa Milà para tratar de apaciguar a unos vecinos que no están nada contentos con su nuevo hogar.

–Mire, señor arquitecto –le dice la señora–, puede que sea usted un genio, pero en esta casa, con las paredes curvas y estos techos que más parece que estemos en una cueva que en un piso, no hay manera de colocar los muebles ni de colgar un cuadro. ¿Y mi piano de cola? ¡No cabe en la salita de música! ¿Me quiere decir dónde voy a poner mi piano?

–Señora –contesta por fin el señor Gaudí levantando las cejas a punto de perder su infinita paciencia–, hágame caso, y ¡pruebe a tocar el violín!

Tras una hora de quejas el viejo arquitecto se despide
con la cabeza hecha un bombo y sube al terrado a tomar
el aire. Respira hondo y se sienta en un escalón.
–¡Esta gente tan convencional me saca de quicio!
–murmura para sí mientras mira el vuelo de las palomas en el cielo–.
¿Por qué les cuesta tanto dejarse de prejuicios
y abrir las alas a la imaginación?

—Venga, a trabajar, que ya hemos perdido bastante tiempo esta mañana —se dice por fin, poniéndose en pie.

Sale a la calle y echa a andar. Por el camino se come unas avellanas de las que suele llevar en los bolsillos.

A unas manzanas de la Casa Milà se está construyendo el proyecto más grande de su vida, una iglesia que será alta como un rascacielos y enorme como una catedral: la Sagrada Familia.

El viejo arquitecto llega a la Sagrada Familia y baja al taller, donde sus colaboradores le ponen al día del progreso de las obras. Para quien no le conoce, el señor Gaudí es el arquitecto más caótico y complicado del mundo. En vez de dibujar planos formales sobre papel, prefiere explicar sus ideas con esculturas de cartón o de yeso que construye con sus propias manos. Otras veces monta modelos hechos de cables, cuerdas y pesas colgantes que tienen que entenderse al revés a base de espejos. Además, muchas veces se presenta a la obra con ideas nuevas y cambia el proyecto sobre la marcha, casi como por capricho.

Sin embargo sus ayudantes, obreros y artesanos, que le conocen desde hace muchos años, saben interpretar cada una de sus ideas y traducirlas en piedra, ladrillo, mosaico o hierro forjado para finalmente convertirlas en arte.

Al caer la tarde, el señor Gaudí se retira a charlar con Josep Maria Jujol, uno de sus colaboradores más cercanos. El joven arquitecto le plantea una pregunta que le tiene preocupado desde hace tiempo:

—Maestro, la construcción de la Sagrada Familia va progresando y pronto culminaremos las primeras torres, pero ¿no ha pensado usted que se necesitan muchos años para completar esta gran obra y que está claro que nosotros no viviremos para terminarla?

—Querido Jujol, yo sé para quién trabajo, y mi cliente no tiene ninguna prisa. ¿Cómo piensa usted que se construyeron las catedrales de antaño? La Sagrada Familia será un proyecto que durará varias generaciones y cada una contribuirá a enriquecer su esplendor. Con certeza, nosotros solamente podremos comenzarla y otros la terminarán, pero un día se acabará y dará gozo verla. La Sagrada Familia será el orgullo de Barcelona, se lo aseguro yo.

Esta tarde, Gaudí no puede demorarse porque tiene
una cita para cenar con su amigo el conde de Güell.
Así que, después de dar unas instrucciones finales en el
taller, se pone el sombrero y se despide.

Entre la prisa que lleva y las ideas que revolotean por
su cabeza, vuelve a atravesar la calle sin mirar y se lleva
el segundo susto del día.

–¡Mire usted por dónde va, despistado! –le grita un guardia.

Atolondrado, el viejo arquitecto balbucea una disculpa,
se sube a un tranvía y se dirige al barrio alto.

Eusebi Güell es el único vecino del señor Gaudí
en el parque donde vive. De hecho, es el dueño
del parque y su nombre aparece escrito en grandes letras
en los mosaicos de la entrada: «Park Güell». Con su
fortuna ha pagado muchos de los proyectos ideados
por Gaudí, aunque a menudo se pregunta si no
se estará volviendo tan excéntrico como su amigo
y si los diseños estrafalarios del arquitecto no acabarán
por llevarle a la ruina.

Cuando construyeron el Park
Güell años atrás, el conde Güell quería
crear una urbanización para gente
acomodada llena de mansiones de lujo,
pero a nadie le interesó la idea de
su ciudad jardín y ahora en el parque
solitario solamente viven él
y Antoni Gaudí.

Sentados en el banco ondulante de la plaza,
el señor Conde lanza un suspiro melancólico y dice:
—Amigo Antoni, hay que rendirse a la evidencia
de que este parque nunca será lo que yo pretendía. Entre
unos que piensan que está demasiado lejos del centro de
la ciudad y otros que detestan tu arquitectura, de sesenta
parcelas en venta solamente se ha vendido una.

–Tiene usted razón, Don Eusebi –contesta
el señor Gaudí–. Me temo que mi arquitectura
solamente nos gusta a usted y a mí.
–Bueno, entendámonos, yo no digo que me
encante pero ciertamente la respeto –replica
el Conde, poniéndose en pie.

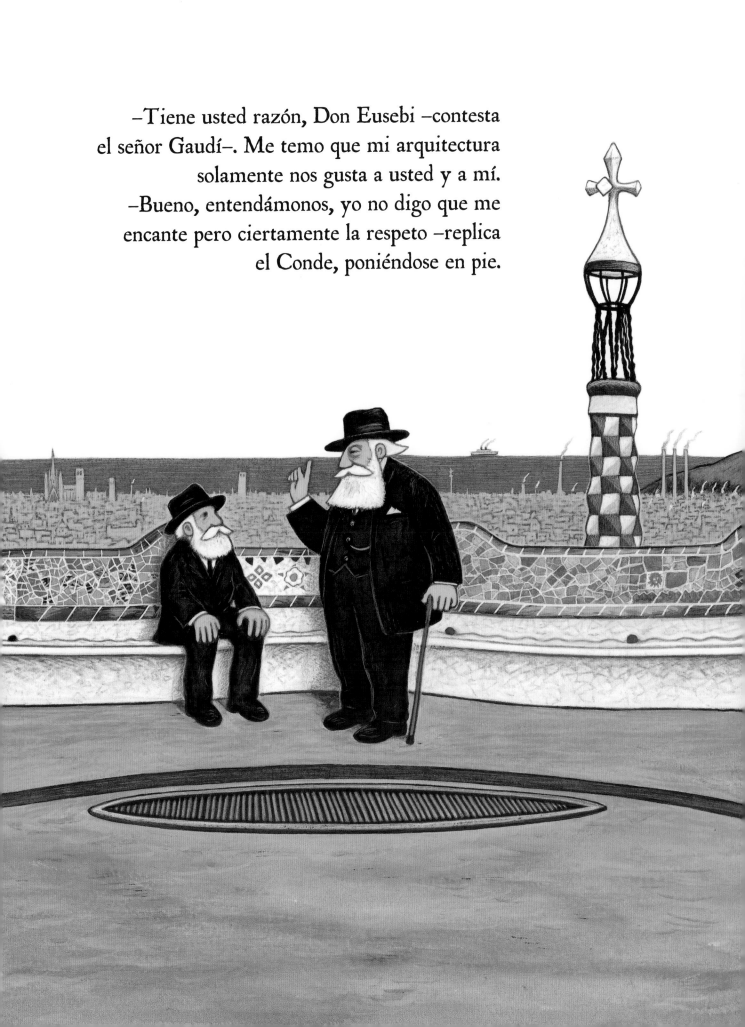

Tras un rato caminando en silencio, el conde Güell se vuelve hacia su amigo, se acaricia la barba con aire solemne y proclama:

—¡No se hable más, Antoni! Olvidémonos de esa ciudad jardín que no será, y de todos esos ricos que nunca vendrán a vivir aquí. Ya estoy cansado de ver este parque tan vacío. No puede ser que en este lugar maravilloso solamente vivamos dos viejos solitarios como nosotros. Está decidido: el Park Güell debe convertirse en un parque público para que jueguen los niños y lo disfruten las familias, los vecinos y todo el mundo que quiera venir a Barcelona.

—¡Una idea excelente, Don Eusebi! —contesta entusiasmado el señor Gaudí.

Los dos amigos cenan juntos en la mansión del conde Güell. Mientras Don Eusebi se da un buen festín, el señor Gaudí, que es vegetariano, se contenta con una ensalada verde y unas verduras al vapor.

Los dos amigos prosiguen su conversación interminable, rememorando viejos recuerdos de juventud e imaginando nuevos proyectos que nunca llegarán a realizar.

–En confianza, Don Eusebi, ¿sabe usted cuál es mi gran sueño de arquitecto? –le dice el señor Gaudí con un guiño de complicidad–. Pues lo que yo querría es construir un edificio monumental en Nueva York, la ciudad de los rascacielos. No se ría, no, querido amigo, ¡que hasta tengo los planos hechos!

–¡Ah, América! ¡El nuevo mundo! –exclama el señor Conde dibujando una sonrisa mientras evoca la tierra donde su padre hizo su fortuna muchos años atrás.

Ya es tarde cuando los dos amigos se despiden.
De regreso a casa, el señor Gaudí se para a desearle las
buenas noches al dragón multicolor.

—Ya lo ves, estimado amigo, otra cena con el señor Conde
y ¡otra vez intentando arreglar el mundo como hacemos
siempre! Pero, ay, bien sabemos que nuestro tiempo
se acaba. Un día no muy lejano nosotros seremos historia,
pero tú seguirás aquí, guardando el parque para las
generaciones que vendrán. *Bona nit*, querido dragón, y
que la Providencia te acompañe.

La luna y las estrellas brillan sobre el Park Güell
y el señor Gaudí camina hacia su casa ensimismado.
En su cabeza imagina nuevos edificios, y proyecta arcos,
cúpulas, bóvedas y columnatas. Sin embargo, al levantar
la vista hacia el cielo ve la luna llena y detiene sus pasos:
le invade el recuerdo de un lejano amor de juventud que
no pudo ser. Por unos instantes, el señor Gaudí parece
sentir una punzada de melancolía, pero rápidamente se
cala el sombrero, aprieta el paso y entra en el portal.
Mañana hay que volver al trabajo y hay mucho por hacer.

Antoni Gaudí (1852-1926)

Antoni Gaudí i Cornet es uno de los arquitectos más renombrados y el gran maestro del modernismo catalán. Contribuyó a crear la imagen de Barcelona, y cada año millones de turistas visitan Barcelona para conocer lugares como el Park Güell, la Sagrada Familia y la Casa Milà.

Sin embargo, Gaudí no nació en Barcelona sino en la región de Tarragona, sin que se sepa exactamente dónde, ya que dos ciudades se lo disputan: Reus y Riudoms. Aunque fue buen estudiante, Gaudí siempre decía que su mejor maestro era la naturaleza misma, con su infinita riqueza de texturas y formas geológicas y botánicas. Muy pronto descubrió su vocación por la arquitectura y se trasladó a Barcelona para estudiar en la universidad, donde rápidamente comenzó a destacar por su personalidad y la originalidad de sus diseños. Ya de joven, Gaudí no dejaba a nadie indiferente, y el día de su graduación el decano de la facultad de arquitectura dijo: «No sé si estamos delante de un genio o de un loco».

Al poco de comenzar su carrera profesional, Gaudí consiguió el trabajo que cambiaría su vida y al cual se dedicaría durante más de cuarenta años. A mediados del siglo XIX un grupo de personas muy devotas había decidido edificar una iglesia que sería un «templo expiatorio» para la ciudad de Barcelona, pero el proyecto avanzaba muy lentamente y el arquitecto original fue despedido. Gaudí parecía el candidato ideal para continuar la obra porque era un joven con talento y también una persona muy religiosa. Pero Gaudí transformó totalmente el proyecto y acabó creando uno de los experimentos arquitectónicos

Nace Antoni Gaudí
el 25 de junio
en Reus o Riudoms
(Tarragona).

Obtiene el título
de arquitecto.

A los 31 años,
se convierte en
arquitecto director
de la Sagrada Familia.

Finaliza
el Palau Güe

1852	1873	1878	1883	1888	1890

Comienza sus
estudios en la Escuela
de Arquitectura de
Barcelona.

Conoce a
Eusebi Güell.

Diseña El Capricho
en Comillas (Cantabria),
y los Pabellones
de la Finca Güell.

Completa
la Casa Vicens y
trabaja en el Colegio
de las Teresianas
de Barcelona.

Proyecta la
Casa Botines
en León y el
Palacio Episc
de Astorga.

más originales del arte moderno. La Sagrada Familia es un proyecto tan enorme que, después de tantos años de la muerte de Gaudí, todavía sigue en construcción. Pero al arquitecto no le preocupaba la duración de las obras porque, tal como solía decir, todas las cosas en la naturaleza, igual que los robles centenarios, requieren su tiempo para crecer.

Gaudí hizo muchos otros edificios, desde fincas de pisos hasta mansiones e iglesias, y también diseñó farolas, baldosas, muebles y decoraciones de interiores. Nunca viajó fuera de España y la mayor parte de su obra se encuentra en Barcelona. Sus dos edificios más emblemáticos, la Casa Batlló y la Casa Milà, están en el Paseo de Gracia, una de las avenidas principales de la ciudad. Gaudí también realizó algunas obras fuera de Cataluña tales como el Palacio del Obispo de Astorga, León, la torre llamada «El Capricho» en Comillas, Santander, y la reforma de la catedral de Palma de Mallorca.

Gaudí tenía un carácter muy especial. Era muy descuidado en su apariencia y siempre vestía el mismo traje hasta que literalmente se le caía de viejo. Sin embargo, con su dieta y su salud era muy meticuloso: era vegetariano estricto y no tomaba nunca sal, no fumaba ni bebía alcohol. Nunca se casó, no tenía ningún interés por la fama o el dinero, y la dedicación a su trabajo era total y absoluta. Se decía que era inflexible y terco pero también podía ser muy cariñoso y además tenía un fino sentido del humor. Con sus colaboradores y con los obreros era muy atento y siempre les animaba a sacar lo mejor de sí mismos. Su lema era «Festina lente», una frase latina que quiere decir algo así como que «para ir deprisa, hay que ir despacio».

En 1878 Gaudí conoció a Eusebi Güell, un joven empresario hijo de una de las familias más ricas del país y que además había

Gaudí y Güell
en la Colonia Güell.

1900

Comienza la construcción del Park Güell. Finaliza la casa Calvet (premio al mejor edificio del año).

Gaudí se instala en el Park Güell y finaliza la Casa Batlló (comenzada en 1904).

1906

Concluye la construcción de la Casa Milà en el Paseo de Gracia de Barcelona.

Culmina la cripta de la Colonia Güell y decide dedicarse por entero a la construcción de la Sagrada Familia.

1910

1915

Fallece su amigo y mecenas Eusebi Güell.

1918

Gaudí es atropellado por un tranvía y fallece tres días después, el 7 de junio.

1926

A su entierro asiste una gran multitud de barceloneses.

Antoni Gaudí

recibido el título de Conde de manos del Rey. Su amistad duraría el resto de sus vidas. Gracias a su fortuna personal y a su sensibilidad para el arte, el conde de Güell se convirtió en el mecenas de Gaudí, y así nacieron algunas de sus obras más inspiradas como, por ejemplo, el Palau Güell, la Colonia Güell o, finalmente, el Park Güell. En Gran Bretaña, Güell había visto las típicas «ciudades jardín» inglesas y había quedado prendado de su armoniosa combinación de naturaleza y paisaje urbano. En esa época la gente de las ciudades, especialmente en Barcelona, vivía hacinada en barrios inhóspitos donde abundaban las enfermedades. Buscando una manera más sana de vivir, Güell decidió construir una ciudad jardín en una colina a las afueras de Barcelona y le encargó el proyecto a Gaudí, dándole completa libertad artística.

Gaudí creó en el Park Güell un lugar extraordinariamente original y allí desarrolló algunas de sus técnicas más características, como por ejemplo el trencadís, los mosaicos hechos a base de pedazos de cerámica provenientes de deshecho. En 1904 se inauguró el parque y tanto Güell como Gaudí fueron a vivir allí. Sin embargo, el Park Güell como urbanización fue un fracaso comercial: quedaba lejos del centro de la ciudad y, aunque hoy cueste creerlo, la arquitectura de Gaudí no era muy popular. Durante muchos años, Güell y Gaudí fueron prácticamente los únicos vecinos del parque. El conde murió en 1916 y Gaudí continuó viviendo en el Park Güell hasta el último año de su vida, cuando se trasladó a su estudio de la Sagrada Familia. En 1926 murió atropellado por un tranvía.

Pocos meses después, la familia Güell donó el parque a la ciudad de Barcelona. La casa donde vivió Gaudí es hoy un museo y la mansión de Güell un colegio de enseñanza primaria.

Hoy en día, convertidos en los dos cabezudos más populares del colegio Baldiri Reixach, Gaudí y Güell siguen saliendo a pasear juntos, desfilando con los niños de la escuela cada 12 de febrero, día de Santa Eulalia, antigua patrona de Barcelona.

Nota del autor

Fotografía del autor, Pau Estrada niño, realizada por su padre, David Estrada Herrero, en el Park Güell.

Cuando has nacido y te has criado en Barcelona, Gaudí se convierte en una parte imborrable de tu infancia, y para mí el Park Güell es casi como el jardín de mi casa. Cuando era pequeño solían alquilar bicicletas para niños en la gran plaza del parque. Recuerdo un día en que estaban ocupadas todas las bicicletas para los niños pequeños, esas que llevaban otras dos ruedecitas más, y mi madre me alquiló una de las de verdad, con dos ruedas nada más. Me aseguró que me aguantaría, y yo comencé a pedalear no muy convencido y bastante asustado. De repente me di cuenta de que mi madre ya no estaba detrás de mí y que yo iba solo; pero, en lugar de perder el equilibrio y caerme, seguí pedaleando tan feliz: ¡acababa de aprender a ir en bicicleta!

Ahora que soy mayor sigo yendo al parque para acompañar a las visitas que vienen a conocer Barcelona o simplemente subo a lo más alto para contemplar la ciudad desde allí. A menudo me pregunto cómo sería el Park Güell hace cien años, cuando no había ni vecinos, ni turistas, ni prácticamente casas alrededor y solamente deambulaban por sus avenidas dos señores mayores de barbas blancas, Güell y Gaudí. Este libro es mi pequeño homenaje a estas dos personas gracias a las cuales hoy todos podemos disfrutar de un lugar tan bonito y original como el Park Güell.

EL ITINERARIO DE GAUDÍ

1 UN PASEO CON EL SEÑOR GAUDÍ

LA CASA DEL SEÑOR GAUDÍ ESTÁ EN EL PARK GÜELL. ¿VERDAD QUE ES BONITA? HOY ES LA CASA-MUSEO GAUDÍ.

2 UN PASEO CON EL SEÑOR GAUDÍ

EL DRAGÓN QUE SALUDA AL SEÑOR GAUDÍ ESTÁ RECUBIERTO DE UN MOSAICO MULTICOLOR. HOY SIGUE CUSTODIANDO LA ENTRADA DEL PARQUE.

LA CONSTRUCCIÓN DE LA SAGRADA FAMILIA HA SIDO LARGA Y DIFÍCIL. ESTÁ PREVISTO QUE SE TERMINE EN 2026.

7 UN PASEO CON EL SEÑOR GAUDÍ

6 UN PASEO CON EL SEÑOR GAUDÍ

LA CASA BATLLÓ ERA CONOCIDA COMO "LA CASA DE LOS HUESOS" POR LA FORMA DE SUS COLUMNAS Y SUS BALCONES QUE PARECEN CALAVERAS.

DEBAJO DE LA PLAZA HAY UN GRAN PORCHE SOSTENIDO POR COLUMNAS. EN EL TECHO HAY CUATRO ROSETAS QUE REPRESENTAN LAS CUATRO ESTACIONES DEL AÑO.

8 UN PASEO CON EL SEÑOR GAUDÍ

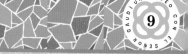

9 UN PASEO CON EL SEÑOR GAUDÍ

3 UN PASEO CON EL SEÑOR GAUDI

CUANDO SE CONSTRUYÓ LA CASA MILÀ A MUCHOS LES PARECIÓ UN EDIFICIO FEÍSIMO Y LE SACARON TODA CLASE DE MOTES. TODAVÍA HOY ES CONOCIDA COMO "LA PEDRERA".

4 UN PASEO CON EL SEÑOR GAUDI

¡LA AZOTEA DE LA CASA MILÀ ES UN JARDÍN DE ESCULTURAS! LAS SALIDAS DE ESCALERA PARECEN MERENGUES Y LAS CHIMENEAS, GUERREROS CON SUS CASCOS.

LA SAGRADA FAMILIA ERA LLAMADA TAMBIÉN "LA CATEDRAL DE LOS POBRES". EN SU RECINTO HABÍA UNA ESCUELA PARA LOS HIJOS DE LOS OBREROS.

5 CON EL SEÑOR GAUDI UN PASEO

BORDEANDO LA PLAZA PRINCIPAL DEL PARK GÜELL HAY UN GRAN BANCO ONDULANTE CON MAGNÍFICAS VISTAS SOBRE LA CIUDAD.

LAS DOS CASITAS EN LA ENTRADA DEL PARQUE PARECEN HECHAS DE JENGIBRE, COMO SI ESTUVIÉRAMOS EN UN CUENTO. DE HECHO, TODO EL PARK GÜELL NOS EVOCA UN MUNDO DE FANTASÍA.

10 CON EL SEÑOR GAUDI UN PASEO